The Wonderful World of Sazae-san

The Wonderful World of
Sazae-san

対訳：サザエさん

⑦

Machiko Hasegawa

長谷川町子

KODANSHA INTERNATIONAL
Tokyo • New York • London

Translation : Jules Young , Dominic Young

Distributed in the United States by Kodansha America, Inc.,
114 Fifth Avenue, New York, N.Y. 10011, and in the United
Kingdom and continental Europe by Kodansha Europe Ltd.,
95 Aldwych, London WC2B 4JF.
Published by Kodansha International Ltd., 17-14 Otowa 1-
chome, Bunkyo-ku, Tokyo 112-8652, and Kodansha America, Inc.
Copyright © 1998 by Kodansha International Ltd. and Hasegawa
Machiko Museum Foundation with the cooperation of C.A.L.

First edition, 1998
ISBN 4-7700-2152-6
98 99 00 10 9 8 7 6 5 4 3 2 1

Sazae's Family Tree
サザエさんの家系図

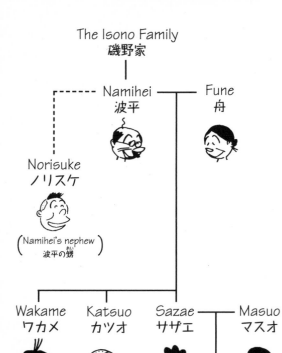

The Isono Family
磯野家

Namihei
波平

Fune
舟

Norisuke
ノリスケ

(Namihei's nephew)
波平の甥

Wakame
ワカメ

Katsuo
カツオ

Sazae
サザエ

Masuo
マスオ

Tarao
タラオ

(often called Tara)
(愛称: タラちゃん)

いよ〜

みなおしました
なァ

そうやってハサミ
をもって赤くなっ
たとこなんざァ
……

アラン

カニそっくり
ですよ

どうも女性は
ユーモアをかいさ
んよ!!

この正月は家族づれで温泉にいったよ

ボクはゴルフ

ボクはスキー

ボクはとうとうどこにもいかずじまいだ

しめた！

たのむ、少しでいいから**かね**かしてくれないか

かんちゅうすいえい
寒中水泳

ガーガーガー

まいとし
毎年のことでこの
ほり
堀のアヒルは寒中
すいえい かんちゅう
水泳ずれがしして
るよ

Quack
Quack
Quack

It's the same every year.
The ducks in this canal
are wise to
this event!

おでん

へえ！
おでんやができた
のか!!

え〜　いらっしゃ
い!!

いつかは一軒がま
えをもちたいとが
んばってます、
どうかよろしく

---

* Oden is a popular Japanese-style stew that is often sold from *yatai* (movable stalls) in winter.

うえの

は〜い　ごめんく
ださい!!

あんまりけがにん
がでるから**けいこ**
くさ

* Ueno is a terminus for northbound trains in central Tokyo.

四、五日スキーで家中るすにしますから ど〜ぞ よろしく

ごしんぱいなく いってらっしゃい

あつかましいんですけどその間あたしのペットおねがいします

はいはい

だめよ あんた!!

ほかをあたってらっしゃいよ

Keep an eye on　から目を離さない

さっするに　おへ
やでかってあるの
ね

クン　クン　クン
クン

ちわ〜

アラ　おにくやさ
んだ

さっするにお肉
ごはんを常食と
してるのね

* Until the early 1980s, meat, especially beef, was expensive.

いぬねこ病院

ペスはここですよ

ごはんのときたべ
ものやっちゃいけ
ないっていったわ
ね

家中 ガス中毒
ですって!!

ウ～

アラ とちゅう
停車したわ!

犬猫病院

ウ～

みんな一つずつ
よ!!

だってペスがあそ
びにきてんだもの

はい　おあがり！

そうかなァ……
おまえこれきら
いか

ね、いいこだから
さ……

いや～ん

キャンデー三つ
あげるから

や～だ

五つくんなくちゃ
はいらない

はいはい

ふろ代ねあげ
はんたい!!

え～……
いそのさんはと…
…

いその

ははあ サンタさ
んのためね

うん

● 19

へ〜え
九十八歳!!

おめでたいです
わね〜

はりのめも一人で
とおせます

まだはもじょうぶ
でな

カズノコなども
よ〜くかめます
のじゃ

しつれいいたしま
した

---

* Herring roe (kazunoko) is considered a delicacy and is thus very expensive.

ああいう家庭の
かんきょうじゃ
こどもによくな
いなァ

That kind of family environment can't be good for the child.

フン、また命中!!

Huh! Another bull's-eye!

---

bull's-eye　命中

じきに出ますって
あんたもう四十分
になるわよ!!

おそいわねー

すいません

このつぎから
きっとはやくきま
すから

なに　もうとりに
きたんだって！

---

* Many neighborhood restaurants deliver food to households, and send someone later to collect the dishes.

たいそう

青_{あお}やさいの
ジュース

れいすいまさつ

さんぽ

あなた あさの
けんこう法_{ほう}が多_{おお}
すぎるのよ

ちこくだ

near-sighted　近視の

オイッ　こどもた
ちはどうしたっ!!

もうみんなやすみ
ました

きっとねたのか
っ!!

ねましたわよ

いやまったくすま
ない　これからき
っときをつけます
から

りょう金がまだ
なんでして

タクシー
まだいたのか！

そらっ　いまだ!!

またしばらくまたなきゃなんないわよ

どのへんでテイキけん　おとしたのさ!

おりまーす、
おりますよ！

おろして
ください!!

マァ　人がみて
わらってるわ

People should live each day with feelings of gratitude.

Abso-lutely!

にんげん感謝の心をもって日日をおくらねばなりません……

まったくだわ

OUCH!

But I'm glad the window wasn't broken.

アイタッ

でもありがたい！ガラスがわれなくて

Thanks! I'm grateful to you!

ありがとう！かんしゃするわ!!

いその

She must have been badly hurt.

What shall we do?

うちどこがわるかったんだ！

どうしよう……

願書受付<ruby>願書受付<rt>がんしょうけつけ</rt></ruby>

おねがいします

かきおき!!

あ、そっちはおち
たときにいるほう
でした

きみ!!

どうかよろしく
おねがいします

*Due to the importance placed on getting into good high schools and universities, entrance examinations are very stressful for school students.

おたずねします

すぐです　駅から
五分

よけいなこったが
あの人のはかけね
がある　二十分は
かかります

土地家屋

一まいおひきねが
います

ふくびき

一等

八等！ **タワシ**です

おつつみしましょ
うか

だんな、ずいぶん
いきごんできまし
たね

---

* Small lotteries—for goods, not money—are held by local shop associations in midsummer and midwinter to promote sales. The color of the ball that pops out when the wheel is turned decides the prize.
* Square cloths (furoshiki) are used for wrapping and carrying miscellaneous items.

こたつでいい
こたつで！

だってぇ　けい
ざいで安全で

その上とてもあっ
たかいんだって！

じゃ　そのスト
ーブ買うか

わ〜うれしい！

ストップ

---

* A *kotatsu*, or foot warmer, is a low wooden frame with an electrical heating element, which is covered with a quilt. It is a common way of keeping warm in winter.

アラ　お名ざし
なの！

ねえ　なあぜ？

やさいがたかく
なったんでね！

あなた　なんてい
っておこらしたの
よ？

おとうさーん

にんげんはサルの進化したものだというけどさ

ボクはなんだか

信じられるよ

めぐまれない
このきのどくな
かたがたに

さいまつたすけ合
いに**きふ**しましょ
うよ!!

おわり

みなさまクリスマ
スのおかいものは
デラックスなセン
スの

だから思いたった
ら すぐしなきゃ
だめなんだ

つうしんぼ

「おちつきがなく うつり気である」

それだからして べんきょうもで きないんだ!! お父さんはかなしい

なにモチがつけて きた!!

モチあみ モチ あみ!!

おいきた！

これだものね

まけるな日本！

おにいちゃん
がんばれ！

日本の特技を外人
にゆずらっしゃる
な!!

---

* The traditional game of battledore and shuttlecock is played at New Year's.

はねとって！

とってー!!

うーん

ふとったよ

あら　そう？

やっぱりおモチの
せいだわ！

* Rice cakes are especially popular over New Year's. To make them, glutinous rice is steamed and pounded into a thick dough, which is rolled into flat sheets and cut into small pieces.

えっ　モリタ君が!!

スキーで右足骨折だって

全治三週間のケガですって!!

こうしてはおれん

すまん大事につかうからその間かしてくれな！

タラちゃんがアメ
を!!

二度あれば三度
だ！

choke on　をのどに詰まらせる

オイ 波平（なみへい）に
お舟（ふね）!!

はい

べんきょうや
おつかいなんか
まぁいいから

はいっ

またおこづかい
くださるの　お
父（とう）さま

**おとうふ三ちょう
よ　いそいで！**

ぼくならそういう
親（おや）になる

---

chore　（名詞）家事,雑用

カツオのかわいが
ってた小鳥　とう
とうだめだったの

よしよし　父さん
と町に出よう

おかわり！

そのちょうし
そのちょうし

おもちゃ

かって～

それだから　おま
えはいやだよ

サラリーマン物語

ごせいがでます
ねぇ

いや

ほんとにまめで
らっしゃるわ

なに

いやだわ　カナリ
ヤのおはかよ

ア　そうだったな

しつれいねッ
口笛（くちぶえ）ふくなんて

と、とんでもない、
この犬（いぬ）にふいたん
です

> How rude, whistling at me like that!

> You're wrong! I was whistling at this dog.

まあッ　なお失礼（しつれい）
ねッ

> Now you're being even ruder!

こおってる!!

サザエさん
おうち？

おててあらって
きま～す

かんしん！

おさらとフォーク
もってきま～す

えらい！

いただきま～す

百点！！

まぁ　オホホホ

おばちゃんは
おヒナさまみた
いだって？

うん

こうえいだわ！

いつもおんなじ
おべべきてる

* For the Doll Festival on March 3, families with girls set out a grand display of dolls representing the emperor and empress, court attendants, and musicians.

まぁ　そういわず
に　もう一ぷく

Don't say you have to go. Have another cup.*

* In spring, tea ceremonies are sometimes held outdoors under blossoming plum trees.

ながくかかった
わねえ

そのかわり
じょうぶなのが
とりえさ!!

フ～ッ

ス～ッ

フ～ッ

どうもこのごろ
体(からだ)のちょうしが
わるいんだ

いやァ、きみの
肺活量(はいかつりょう)は、たい
したもんだよ

ごせいがでますこと！ 日<ruby>曜<rt>にち</rt></ruby>ようペンキやさんですか！

あっしゃァほんものの ペンキ屋です

アレッ ご<ruby>主人<rt>しゅじん</rt></ruby>かと思っちゃった！

マァ ひどい、ご<ruby>主人<rt>しゅじん</rt></ruby>だなんて！

チェッ おかげでオレは<ruby>表<rt>おもて</rt></ruby>に<ruby>立<rt>た</rt></ruby>たされるのか!!

読心術
どくしんじゅつ

すぐそこです!!

ちがいましたか

スマン　スマン
ずいぶんまった？

まァ あなた
せっかく花見に
きたんだから
サクラもごらん
なさいよ

---

* While the cherry blossoms are in bloom, many people enjoy the flowers by holding parties under the trees.

しょうがないわね
……なんども呼ば
せて

なんならボクが
おこしてこよう
か？

たのむわ!!

がめついのね

なんなら十分ほど
みのがしてあげよ
うか？

このシミーズじゃ
いやだ！

こんなようふく
だめだ！

あんなに大さわぎ
したけど 顔だけ
しかうつってない
じゃないの

お〜 ヨチ ヨチ
ヨチ

おばあちゃん
よしてちょうだ
い、**だきぐせ**が
ついちゃってな
おらないから！

ハハァ ああなる
のね

おじゃましました

しつれい申上げました

おきゃくさまの前で みっともないことばっかりしてっ!!

おにいちゃんだって やったよ!!

もうボクは自己ひはんやってます

さぁ　お父さんは、いまはをみがいてきたぞ！

お前たちもみがいておいで!!

は～い

みがいてきました～!!

よろしい
おやすみ!!

三人ともきいちゃおれん

三十分もまえから断水してんのにさ

かしらつきのまま

二枚におろして
ひらいちゃった
んでさ

二匹ァ 買っちゃ
やられませんや

魚徳

* Colorful carp streamers, called *koinobori*, are flown atop tall poles by families with children (originally one for each male child) before Children's Day (May 5).

つぎ！

時間給水
<ruby>時<rt>じ</rt></ruby><ruby>間<rt>かん</rt></ruby><ruby>給<rt>きゅう</rt></ruby><ruby>水<rt>すい</rt></ruby>

WATER SUPPLY HOURS

なにしてんのよ

What are you doing?

I forgot which pan I put the soup stock in.

どれが おだしを
とったナベだか、
わかんなくなった
のよ

婚約かいしょう
しましょう!!

いいとも!!

ほら！ あんたか
らのプレゼント
かえすわっ!!

バス

そーら　ビワの箱こんなとこに**いんとく**してた！

バナナはこの中だ！

ふだん推理小説を愛読してなきゃ果物は**めいきゅう**入りだったわ！

いま つかって
ます！

雨やどりするとこ
ろがないんです

だいじな話ちゅう
なんです！

すいません

ねえったら、
セツコさん おね
がい……
結婚してください

* Sliding doors and screens are generally repapered before the New Year.

ア、おかえんな
さい

いその

なんだい！
こんなとこで!!

アラそんなにおこ
らなくたっていい
じゃない

せんきょ事務所

ボクなんかだめだ…… きっと**らくせん**する

ぜんぜん自信がない……

ボクも入試の前そんなきぶんになっちゃうんです

三どもらくせんしてるんだ

ボクだって**三ど**めの浪人です 人生なんてつまらんです

アルバイトの学生をかえよう！あれじゃ意気しょうちんしてだめだ

---

* Students who fail to get into university and have to leave school often study on their own and retake the exams in subsequent years.

高級レストラン
（こうきゅう）

メニュー

カッ

またか

すこしラジオの音を小さくしたらどうです!!

あなたもずいぶん如才がないわねえ

となりどうしだからな

へえ～
ラジオの音か…
…

what about...?　…はどうか

婦人（ふじん）トイレット

押（お）す

引（ひ）く

たまにゃにんげん、**ごらく**がなきゃ！

こっちはちっとも
ふってないわよ

へぇ！ そうかい

こっちはかなりの
夕立なんだよ

うん、しばらく
雨やどりしてか
えるよ

きみのばんだよ！

オス！

いその

チェッ　おれ一人
でするのか

> Tsk! So I'll
> have to do
> his home-
> work by
> myself!

改礼口（かいさつぐち）

あれ**こしょうして**るんだ

自動キップ販売機（じどうキップはんばいき）

みんなもみんなだ
並（なら）んでないでなおさせるべきだよ！

お金（かね）入れないで
キップが出（で）ちゃうんだ

なんかごようですか？

いいんです！
いいんです!!

しょうちしました

オリンピック道路

ボクがぜったい
はんたいだ！

はんたいだ、
はんたいだ！

* In preparation for the 1964 Tokyo Olympic Games, many houses were torn down to widen existing roads.

一体ことのおこり
はなんだ？

白いおそうめんの
中に赤いのが一本
まじっているでし
ょ、あれをお兄ち
ゃんがとったの

じつにくだらん!!

---

* Somen are very thin wheat noodles, which are enjoyed cold in summer. In earlier times, occasional strands were colored red or green.

なんだいでかける
ときの**げんき**は！

ほら **ほだか**が
みえるよ！

え？
なんだって？

ヤーホ〜……

御中元

いその

* Twice a year, companies and households give presents of food or such items as soap to those who have helped them. In less affluent times, the gifts were often "recycled" to other households.

みんなるすです

おかえりになった
ら　よろしく

くだものだよ、
まちがいなし！

ひやしとこう

セッケンひやした
の　だれ!!

アラおかえんなさい！

どうもおつかれさま！

なかなかきのつくワイフじゃないの

ひとしれぬ**くろう**があるよ

---

* One's shirt and tie are removed before donning the informal robe called yukata to relax.

バカッ このいそ
がしいのに
しゅくだいかと思
ったら

父ちゃんにやらし
たのは学力調査
だったのかよ!!

いやね、夏やすみ
のしゅくだい安
心してまかされる
かとおもってさ

しまった　サービスのマッチもってくるのわすれた

いいじゃないか、そんなもの

いや　まってくれ、とってくる

このスイカのたべかた！

すごい！

マッチは？

いいの　いいの

---

* Restaurants and bars usually have matches bearing their name and address to give to their customers.

そーらね、これが
セミのぬけがら
だよ

> See?
> That's
> the skin a
> cicada
> cast off.

あたしだって
きょねんの**ようふ
く**はいやだ～

> I don't want
> to wear last
> year's
> clothes,
> either.

ちょっと**ねだん**は
張_はるが

新種_{しんしゅ}だそうだ!

マァ千円_{えん}!! ばか
ばかしい

ただのスイカに色_{いろ}
ぬったんじゃない
の!

すぐ人_{ひと}のいうこと
信_{しん}じるんだから
ッ!!

へ～ のみしろを
浮_うかすために色_{いろ}は
君_{きみ}がぬったの

またすぐだまされ
るんだ!
うちの奴_{やつ}

---

gullible　(形容詞)だまされやすい

おらァ刑務所を出てきたばっかりなんだ!!

じゃ おじさんボクのきもちわかるでしょ！ ここから出して!!

* In the poor postwar years, this was a common tactic of itinerant peddlers to frighten people into buying their wares.

おらァ刑務所を
出てきたばっか
りなんだ!!

アラきのうゴムひ
も買ったばかりじ
ゃないですか!

あ、…… きのう
来たっけね

こう暑くちゃ頭お
かしくもなるよ

勝手口

ごめんよ！
ごめんよ！

おらァ　刑務所を
でてきたばっかり
なんだ!!

そう、ボクは
たった今、お手洗
いにゆくとこなん
だ!!

ゆうべのおかずが
あたったかな

チェッ　ひょうし
がぬけらァ

すごい人出ね

グレン隊もそうとう出てるから気をつけるんだよ

オイオイ 人の足ふむなよ！

そら出た

ヤイ！ どけろよ

シーッ

しらんかおしてるんだ

おまわりさ～ん
あるけねえよぅ!!

水をまくよ〜!!

どうもごくろう
さん

来年は買わなきゃ
なるまい

すいません
どうも てくせの
わるい奴で

light-fingered　手癖の悪い

アラ　しまった！

おくさま　たす
かりましたわ！

らっかんはゆるせ
ませんわ!!

すみません、おあ
つかったでしょ

ホッ

もしもしサイフが

いや こどもたち
にわかってもらっ
てんです

こうこどもの水死が多くちゃ

お母さんパトロールが出動しなきゃ!!

ア!! さっそく

きたかいあったわ!

ミチコ
ゆるしてくれ

もうじき学校が
はじまるという
のに

みんなねぼうの
くせがついて
こまるわ！

ごらん！

この秋のパリモードは一だんとほっそりしたシルエット……か

だめだめ これいまたべるんだろう

コチョ　コチョ
コチョ

キャー

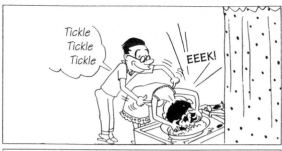

よくもやったね！

なんかつげぐち
したな

『私だけがしって
いる』

* "I Am the Only One Who Knows" was a popular drama series shown on NHK, Japan's public broadcasting station, from 1957 to 1963.

よし二百円だそう

きっとね

ねえ　なに？

お父さんのネクタイみつけ出したら二百円くれるって！

アッ　じゃボクがもらった！

だから大人はうそつきなんだ

おとうさん！
なんだかへんよー

だって推理小説の
けつまつをしゃ
べっちゃうとい
うんです

You're a child of the modern world, aren't you?

おまえも現代に生きるこだね！

ア～ン

ウワ～ン

ウオ～ン

みんなでかけて
るすだよ

ア、そう

おそうじですか

まぁ おめずらし
い サァどうぞ！

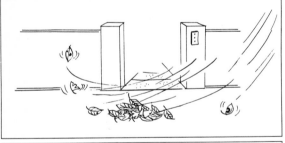

---

* Roasting sweet potatoes in a bonfire of fallen leaves used to be a common sight in the fall.

お父さんの料理

ペッパー

マヨネーズ

しお！

こぼした そこ
ふいて

それからフライ
パン

大きなランチ
ざら！

オキシフル、赤
ちん、だっしめ
ん、ほうたい

かえって手がかか
りますから　やめ
ていただきます

いらっしゃい

こんにちは～

怪我15人

いま　うちの**やつ**なに着てました？

白いセーターにスラックス

いや、かっぽう着にキモノだったっけ？

そーら　みろ、**人間**の**きおく力**なんて　そんなもんだ

だから**七五三**のあたしの着物　**おととし**のでいいっていうのよッ

---

* Police boxes display the number of people injured and killed in traffic accidents in the area.

* For the Shichi-go-san ("Seven-Five-Three") Festival on November 15, parents and children—girls of 3 and 7 and boys of 3 and 5—dress up in traditional clothing to visit a local Shinto shrine.

● 106

連休に出てみろ
おまえ　のりもの
は　こむ

かみくずだらけ

むだ使いはする
千円　千円

うちにいたほうが
いいや！

とかなんとかいっ
て、けっきょく出
なきゃ気がすまな
いんだから

A sense of justice

正義派

メザマシがこわれ
てんだ、早い汽車
だから　だれかお
こしてくれよ

だったら必ずボク
たち　おこしてあ
げるよ

たのむよ!!

**きみらにはたのま
ないぞ〜**

石や～き　いも

ガラッ

人の弱点をついて
しのびこむなんて
ひきょうよッ

---

* Yakiimo, or sweet potatoes roasted over hot stones, are sold from yatai (movable stalls) that tour residential areas in winter.

さア　こいっ!!

おみやげかってき
てね!!

アレッ
わかってたの

ア、**ア**、**ア**、ア

なんてことすんのよ!!

落ちたらどうすんのッ

ポカッ

つい　うちの子の調子でやっちゃった

---

what if ...?　　…したらどうなるか

らい月そうそう
ボーナス出るら
しいぞ！

まーうれしい！

チュッ

オイ　笑いながら
するのはよせよ！

* Companies pay a bonus amounting to several months' wages every June and December. Husbands usually give their bonuses to their wives since they manage the family finances.

イ〜だ
イ〜だ

おかえりッ！

おコタにはいって

すいり
推理ドラマがはじまって

ピーナツでもどう？

ま！
き
気がきくのね！

てき
敵はとうぶんあらわれないぞ!!

---

* In fall, persimmons can be seen hanging on strings in verandahs to dry.

非行少年が多い
らしいですなァ

しかしうちの子は
……

ま、一パイいかん
か！

いや 一パイも
だめです

ね！ ごらんのと
おりです

ボクここ一年ばか
り禁酒してるんだ

オーイ ぼくの
スキー帽や手袋
やクツ下どこに
やったんだ!!

Hey! Where did you put my hat and gloves and socks?

しょうこりもなく
また行くの?

You're going again in spite of everything?

ほら　このギプス
の中よ

They're here, in your cast.

いまが　かせぎ
どきじゃないか

ひったくり
やってこい！

がってんでござん
す

チャンス

郵 便 は が き

1 1 2 - 8 7 9 0

料金受取人払

小石川局承認

1568

差出有効期間
平成12年1月
9日まで

東京都文京区音羽一丁目
十七番十四号

講談社
インターナショナル　行
愛読者カード係
（対訳サザエさん⑦）

★この本についてお気づきの点，ご感想などをお教えください。

　今後の出版企画の参考にいたしたく存じます。ご記入のうえご投函くださいますようお願いいたします（平成11年12月9日までは切手不要です）。

a　ご住所　　　　　　　　　　　　　　〒□□□-□□□□

b　お名前　　　　　　　　　　　c　年齢（　　　）歳

　　　　　　　　　　　　　　　　d　性別　1男性　2女性

e　ご職業　1大学生　2短大生　3高校生　4中学生　5各種学校生徒
　　　　　6教職員　7公務員　8会社員(事務系)　9会社員(技術系)　10会社役員
　　　　　11研究職　12自由業　13サービス業　14商工従事　15自営業　16農林漁業
　　　　　17主婦　18家事手伝い　19無職　20その他(　　　　　　　　　)

f　本書をどこでお知りになりましたか。
　　　1新聞広告(新聞名　　　　　　　)　2雑誌広告(雑誌名　　　　　　)
　　　3書評(書名　　　　　　　)　4実物を見て　5人にすすめられて
　　　6その他(　　　　　　　　　　　　)

g　どんな本を対訳で読みたいか、お教えください。

h　どんな分野の英語学習書を読みたいか、お教えください。

御協力ありがとうございました。

こんやの○○社の
お客さま五人さん
だったね！

おかみさん　カゼ
でお一人抜けます
って

くる途中
交通事故でまた
お一人さん入院
ですって

じゃ　三人ね

みんなだめ！　石
油ストーブで会社
が火事になっちゃ
ったんですって！

よくもだました
わね　しらない、
しらない、しら
ない、

師走らしいきぶん
が出たろう

メチャクチャ
大特売

高かったぞ
お前!!

うれしい!!

やすものねッ

し、しかし中身が
助かってよかった
なァ

---

cheapie　（名詞）安っぽい物

まだ木村さんから
おせいぼこんかね

こないわ……

まい年 はやばや
とよこすんだが
なァ……

どうしたのかしら
ねえ

いその

おとうさーん も
ってきた きた!!

おとうさーん

おれは出られん

あたしだって

シュン、シュン

うるさい　ハナを
かんだらどうだ！

ともだちだよ

シュン　シュン

ア、そうか
そうか

え？　どうして友
だちならよくてボ
クならどなるんだ

もうたいていにか
んべんしてくれよ

シュン　シュン

このへんで 待ち
あわせてんだけど

こういう背かっこ
うのこんな感じで

くじ

……と、いった顔
だちなんだけど

さぁ……？ みな
かったねえ

いやんだ〜 さっ
きから待ってたの
よ！

ああ この人なら
居たよ

夫婦の欲目だねえ

はじめはババぬき、サァだれからはじめる？

ジャンケンできめよう！

ジャンケン……

ポン

わー　ワカメちゃんはまけだ！

はじめっからこれじゃ思いやられるね

えッ!!
足をふみました
か……

バス

どうも　しっけい
しっけい！

ンマア!!

成人式かと思っちゃうわ～

やーだ おばさん お上手ね

お子さんがだよ!

へっ

うぬぼれてるよ

あれだからご近所で もめごとがたえないのよ

---

* Coming-of-Age Day (Seijin no Hi) is a national holiday celebrated on January 15 for young people turning 20.

成人の日おめでと
うございます

ありがとうござい
ます

こどもこどもと思
っておったに……
かんがい無量です

アーァ！ せがれ
もああいうことを
いう年になったか
……

「大寒を
つきて匂うや
梅の枝」

盗作じゃないの

カッ

なにをいうんだ！
だれが聞いたって
入選作なんかじ
ゃありっこない！

おまちどおさま

きみィ！　ハエ
がはいってたぞ!!

えッ　はいって
ましたか!!

そらみろ！　たし
かに打ち落したと
思ったんだ　おら
ァ！

もし、**てぶくろ**が
かたほうおちまし
たよ

いや風流<ruby>流<rt>りゅう</rt></ruby>なお<ruby>人<rt>ひと</rt></ruby>だ

すみません……

けしわすれて買物に出ちゃったのよ！

バカッ

まぬけッ！

二階のちょうどこの上でかけてたの

かずこ……よかったな〜〜

ネクタイのとりか
えっこやらないか

よかろう

ちょっとしたこと
できぶんてんかん
になるなァ

ねえ　おべんとう
とりかえっこしな
い?

いいわ

おねがいします

すぐそこ
ニコニコパン

いや あたしも.
サラリーだけじゃ
くえませんから
なァ

百円

更科…

アミモノ
引受けます

そうぎ社…

すぐそこ
ニコニコパン

やきイモ

● 133

カメラ

けいえい学

ごく、かんたんな
カメラができたん
だって

ハ　ございます

オーイ　どんな
バカでもうつせ
るカメラ、そこ
にあったろ！

オレはどうも商
売は　むかんら
しい……

こどもがそんなもの みるんじゃないッ!!

うちじゃビシビシスパルタ式に教育しておりますの!

こしょうしたからみせてくれって

へえー 車のナンバーが受験番号と同じだって！
えんぎがいいや!!

アッ!! クロねこ、さいさきがいい！

ア、ついてるなァ!!
四つ葉のクローバーですぜ！

---

omen （名詞）前兆

● 136

おとうさん　字を
おしえて

まァまァ　べんき
ょうはその位でい
い、あそんでおい
で

だめじゃないです
か　せっかく字を
おそわりに来たの
に

だって遺書って字
をききにきたんだ
ぞ　お前

いその

春(はる)もの紳士服(しんしふく)

春(はる)もの大売出(おおうりだし)

デパート攻勢(こうせい)にまけるな、うちもアドバルーンをあげろ!

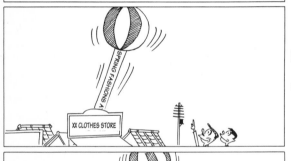

春(はる)ものは〇〇店(てん)

〇〇洋服店(ようふくてん)

<ruby>入<rt>にゅう</rt></ruby><ruby>試<rt>し</rt></ruby><ruby>発<rt>はっ</rt></ruby><ruby>表<rt>ぴょう</rt></ruby><ruby>日<rt>び</rt></ruby>

ただいま

おかえんなさーい

ホッ

<ruby>夕<rt>ゆう</rt></ruby>はんのおかず
かいにいって
なにしてたのよ
ッ！

キミ、みんな並んでたんだから間からわりこむのはよしたまえ

ウィ～

なにを
このやろう!!

ヤイヤイ てめえら しらんかおしやがって この男を見ごろしにするのか！

日本人の公徳心の**けつじょ**におらァ泣けてくる

泣き上戸らしいですな

歯科

オモチャ

こういう時期に
こまるじゃないか

ごめんなさい

ちがいます　ちが
います　なんでも
ありません

事件記者

---

* Violence in schools was the cause of much concern at this time.

結婚

入学

税金

三月はつらい

火事見舞

てんきん

でんぽう！

「ジョシ
アンザンス」
サイトウ

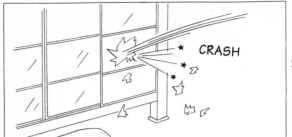

CRASH

ガチャーン

Johnnie Walker!

ジョニー
ウォーカー

よその人がオモチャをあげるといってもついてっちゃだめだよ！

うん

おいしいおカシをあげるといってもだ！

わかってるよ

<ruby>建築<rt>けんちく</rt></ruby>

いよ〜　一パイやりにいきませんか！

いいですなァ!!
ぜひ　ごーしょに

<ruby>乗<rt>の</rt></ruby>れない！

のる！

ホラのった、<ruby>百円<rt>えん</rt></ruby>！
わるいわね

<ruby>回送車<rt>かいそうしゃ</rt></ruby>

だから<ruby>人生<rt>じんせい</rt></ruby>って
<ruby>面白<rt>おもしろ</rt></ruby>いよな、

一級酒 三本ね、
ヘイヘイ

一級酒 三本
下川さん

へーい

やけ酒三本 もっ
てまいりました!!

シーッ まだ落選
かくじつじゃない
んだ

お嫁さんがとおる
のをしらせたのに、
なぐるとは　けし
からん!!

むちゃだわ！

「しっかりしなよ、
また行かれちゃっ
たじゃないか」と
いったんだ！
ちくしょう……

あいすみません…
…

pull oneself together　自制心を取りもどす

あつくなったわ
ねぇ

この頃になると
思いだす……

婚約時代にいった
あの高原！

あの林！

二人でほったあの
ラクガキ！

あの木どうなった
かなァ

電柱になったわ
よ、あなた！

サザエ
マスオ

ヨォ！どちらへ？

伊豆から下田を
一回り！

いってらっしゃ
い！

るすは
どうぞよろしく

おみやげ

きみきみ、ヨウ
カンはやめた！
つづくと あきる
からね

---

* Shimoda is a port on Izu Peninsula, a scenic area southwest of Tokyo famous for
its hot-spring resorts. * Many hot-spring resorts sell boxes of yokan (a gelatined
dessert made of adzuki beans) as souvenirs to take back to family and friends.

どうも　おまたせ
しまして

どこも**ひとで**が
たりないのね

おどろいたね、
ひどいおばあさん

ア〜やれやれ

おじさん　ごくろ
うさま！

* Japanese-style inns usually employ middle-aged women as maids to serve the food,
lay out the bedding, and clean the rooms.

So that's what we're having!

そう！

If you give me lots of treats on Children's Day, I'll see what I can do on Mother's Day.

お母さんがよーくこどもの日にサービスすれば、母の日にはボクも考えるよ

What happened?

Don't worry about it.

どうしたの!!!

気にしない　気にしない、

After the long vacation

連休あけ

バス

どなたかサイフ
おとしたかた
ありませんか？

Has anyone lost a purse?

なかみはほとんど
カラですけど

There's not much inside.

すばらしい殺虫剤ですぜ
おくさん

パッタリ

うち三かんいただくわ！

ヘイどうもありがとう

さぁ はいりな！

虫をここまで仕込むなぁ たいていじゃなかったぜ

すくないが お中
元<ruby>元<rt>げん</rt></ruby>だ

とんでもない
うちでしかられま
すから

まあ そういわず
にとっときたまえ

では ともかく
おあずかりして

あのー トイレ
どちらでしょう
か？

アハハハ なかみ
は五百円<ruby>円<rt>えん</rt></ruby>じゃよ！

ハァ そうですか

Selling is tough

Isn't it too bright?

Not at all.

らくじゃない

はでじゃない?

とんでもない

Does it suit me?

It looks perfect on you, Miss.

にあう?

それこそピッタリ
でございますよ、
おじょうさま!

Tee-hee! Calling me "Miss"...

I'll come again.

オホホ おじょう
さまだなんて……

またくるわ

Hubby, does it suit me?

THAT'S ENOUGH!

あんた
これにあう?

やかましーい!!

リンゴとイチゴとレモンどれが一番ビタミン**C**が多いかしってる？

おぼえときなさいイチゴなのよおばあちゃん

このオヤジ ちょっと学があるでしょ！

それは はじめに わたしがおしえたんじゃ！

もう わすれおって そまつなオツム さいていね

これステキ!!
ほしいわ!

安いじゃないか、
かったらいいだ
ろう!

十九万円でござい
ます

0を一つ見おとす
人はあるが　二つ
見おとすのはめず
らしい

二十七センチか！

やはりムリですね

carry through　貫く

どこさがしても
こどもたちみえ
ないのよ

アラそう

ガラガラ
ガラ　ガラ

ボクも
こおりジュース!!

ほらね、どこにい
てもききのがさな
いわ

あんたたち
ほんとに　だいじ
ょうぶ？

だいじょうぶだっ
たら!!

納涼
スリラーショー

大人
子供

おとな一枚
こども二枚

はいるまえから
これじゃ　よわ
ったな

---

faint　（動詞）失神する

アベックとびこみ
やろう！

ヨーイ　ドン!!

あがってこい!!

こんちゅうさいし
ゅうに いるんだ

夏やすみのしゅく
だいなんだよ！

ううん　もっと
大きいの！

ほんとにこの箱が
いるんだよ

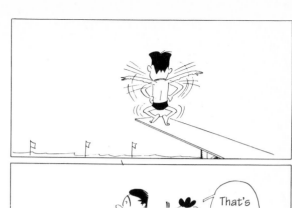

もう　そのくらい
でいいわよ

カメラ!!

だれかきて〜

対訳 サザエさん ⑦
The Wonderful World of Sazae-san

1998年2月10日　第 1 刷発行

著　者　　長谷川町子
　　　　　は せ がわまち こ

訳　者　　ジュールス・ヤング／ドミニック・ヤング

編集協力　株式会社 C·A·L

発行者　　野間佐和子

発行所　　講談社インターナショナル株式会社
　　　　　〒112-8652　東京都文京区音羽 1-17-14
　　　　　電話：03-3944-6493（編集）
　　　　　　　　03-3944-6492（営業）

印刷·製本所　川口印刷工業株式会社

© (財) 長谷川町子美術館

ISBN 4-7700-2152-6